Imágenes del Perú / Images of Peru

Imágenes del Perú
Images of Peru

Recuerdos de Huamalíes y otras regiones del Perú
Memories of Huamalíes and other regions of Perú

Mahlon Barash

Imágenes del Perú / Images of Peru

© 2021. Mahlon Barash

Derechos reservados / All rights reserved

ISBN: 978-0-578-83253-1

Índice / Index

Dedicatoria

Llata y Huamalíes fueron hogar para mi y Jack
Hoffbuhr, otro voluntario del Cuerpo de Paz,
durante dos años inolvidables, de 1965 a 1967.
La gente hizo nuestra estadía memorable.
Construir nueve escuelas nunca hubiera sido
posible sin la colaboración de los comuneros de
los caseríos de Huamalíes –muy trabajadores y
dedicados. Sus esfuerzos resultaron en mejores
escuelas para sus hijos.
Fue un honor trabajar con ellos.
Quiero expresar mi gratitud y admiración
especiales para la gente de Morca. Con la
colaboración financiera de una escuela socia en
los Estados Unidos, construyeron una nueva
escuela que hasta hoy sirve a los niños de la
comunidad. Espero que haya podido recoger el
espíritu comunal y la dedicación de los
comuneros a través de estas fotografías.
Además, estoy muy agradecido a la gente de
Llata, pues nos aceptaron como miembros de la
comunidad. Su amabilidad y hospitalidad nos
hizo sentir en hogar. Por estas razones yo
dedico este libro a la gente
de Huamalíes, Morca y Llata.

Dedication

Llata and Humalies were home to me and Jack Hoffbuhr, another Peace Corps Volunteer, for two unforgettable years -- 1965 to 1967. Our stay was made memorable by the people. The accomplishment of building nine schools could never have been done without the collaboration of the *comuneros* in the *caserios* of Huamalies -- hard working and dedicated. Their efforts resulted in better schools for their children. It was an honor to work with them. I especially want to express my gratitude and admiration for the people of Morca. With the financial collaboration of a partner school in the United States, they built a new school which is still there today serving the children of the community. I hope I have been able to portray the community spirit and dedication of community members through these photographs. In addition, I am grateful to the people of Llata. The *llatinos* accepted us as members of the community. Their good nature and hospitality made us feel at home. For these reasons I dedicate this book to the people of Huamalies, Morca, and Llata.

Agradecimiento

Este libro no hubiera sido posible sin la colaboración y apoyo de varias personas. Primero, deseo expresar mi gratitud profunda a Richard Cacchione Amendola, quien me ayudó con contactos valiosos, con la redacción y lectura de pruebas en ambos idiomas: español e inglés, como también su apoyo moral durante el largo periodo para llegar por fin a la publicación. Richard, también un ex voluntario del Cuerpo de Paz en el Perú, es peruanista, bibliógrafo y poeta.

Mi agradecimiento también para la Editorial Universitaria de la Universidad Ricardo Palma, con mención especial para la colaboración de Miguel Ángel Rodríguez Rea y Augusto Valdivia Carrasco.

Finalmente, expreso mi gratitud a Solange Adúm y Jhonny Chávez, quienes hicieron un trabajo excelente al escanear y eliminar rayas de los negativos originales.

Acknowledgements

This book would not have been possible without the collaboration and support of various people. First and foremost, I wish to express my profound gratitude to Richard Cacchione Amendola, who has helped with invaluable contacts, editing and proofreading of both Spanish and English, as well as moral support during the long period to finally arrive at a publication. Richard, himself a former Peace Corps Volunteer in Peru, is a Peruvianist, bibliographer and poet. Next, I wish to express my appreciation for the support given by the Editorial Universitaria of the Universidad Ricardo Palma with special mention for the collaboration by Miguel Angel Rodriguez Rea, and Augusto Valdivia Carrasco. Finally, I express my gratitude to Solange Adum and Jhonny Chavez, who did an excellent job scanning and removing the scratches from the original negatives.

Presentación

UNA ÉPICA COTIDIANA

Las fotografías que aquí presenta Mahlon Barash son un testimonio valioso del esfuerzo y el pundonor colectivo de los pueblos y ciudades del territorio nacional (Huánuco, Huancayo, Arequipa, Lima). Muestra también acciones individuales de un país en búsqueda de nuevas y esperanzadoras perspectivas de vida

Este álbum es producto de su experiencia como participante en el trabajo comunitario a través del Programa de Cooperación Popular en el primer gobierno del Presidente Fernando Belaunde Terry; esto, durante el periodo 1965-1967. Posteriormente, intervino en actividades vinculadas al Banco de la Vivienda del Perú entre los años 1978-1982.

Imágenes del Perú es la visión de un viajero que se ha enamorado de nuestro país y que da cuenta de este afecto bajo el lente fotográfico donde la ciudad y el campo aparecen en versiones directas, sin acicalamiento. Los paisajes humano y cultural que aquí se recogen expresan lo diverso y complejo de nuestra nacionalidad.

LOS EDITORES

Presentation

A DAILY EPIC

The photographs that Mahlon Barash presents here are a valuable testimony to the exertion and collective pride of the towns and cities of the national territory (Huanuco, Huancayo, Arequipa, Lima). They also show individual actions of a country searching for new and hopeful perspectives of life.

This album is a product of his experience as a participant in communal labor through the Cooperación Popular program in the first administration of President Fernando Belaunde Terry during the period 1965 to 1967. Subsequently, he participated in activities of the Housing Bank of Peru between the years 1978 to 1982.

Images of Peru is the vision of a traveler who has fallen in love with our country and one becomes aware of this through his lens where the city and the country appear in direct expression, without enhancement. The human and cultural scenes found here express the diversity and complexity of our nationality.

THE EDITORS

Introducción

$\mathcal{T}$omé las fotografías para este libro durante dos periodos diferentes en el Perú. El primero fue entre 1965 y 1967, cuando fui voluntario del Cuerpo de Paz en la provincia serrana de Huamalíes, en el departamento de Huánuco, trabajando para el programa Cooperación Popular en caseríos de diez distritos de esta provincia, en la construcción de escuelas de adobe y tapial con trabajo comunal. El segundo periodo fue entre 1978 y 1982 cuando estuve trabajando por todo el país con el Banco de la Vivienda del Perú y el sistema mutual en un programa de préstamos para el mejoramiento de viviendas para familias de ingresos bajos.

Las fotografías del primer periodo muestran la vida diaria campesina. Aunque las imágenes son de una zona específica pueden ser de cualquier lugar de la sierra peruana. Debido al hecho de que estuve trabajando con los comuneros diariamente, y siempre me vieron con una cámara, fue muy fácil tomar fotografías muy naturales. Desde el principio yo me sentía humilde frente al carácter del trabajador y la dedicación al espíritu comunal, a pesar de sus dificultades cotidianas.

Las fotografías en el segundo periodo son de Arequipa, Huancayo y Cusco, y de los asentamientos marginales en Lima. Muestran gente en actividades diarias como también varias fotos con ángulos y patrones diferentes.

Introduction

$\mathcal{I}$ took the pictures in this book during two different periods in Peru. The first period was between 1965 and 1967 when I was a Peace Corps Volunteer in the highlands Province of Huamalies in the Department of Huanuco. I worked for *Cooperación Popular* with *caserios* (very small indigenous rural communities) in ten districts of this province in the construction of schools made of *adobe* and *tapial*[1] with communal labor. The second period was between 1978 and 1982 when I was working countrywide with the Housing Bank of Peru and the savings and loan system in a home improvement loan program for low income families.

The pictures in the first period show typical daily *campesino* (peasant) life in the Peruvian highlands. Although the pictures are from a specific region, they could be from anywhere in the Peruvian highlands. Because I was working with the *comuneros* (community members) on a daily basis and they always saw me with a camera, it was easy to get very natural and candid pictures. From the outset I was humbled by the hardworking nature and dedication to community spirit by the *comuneros* in spite of the hardships they faced daily.

1. Translates as "rammed earth". Two long large boards are placed on either side of the wall and then humid earth is thrown in between. The earth is then compacted by stomping on it and pounding it with wooden mallets. The two boards are then moved forward and the earth is pounded from the outside with the mallets. This is a very common type of construction in the highlands of Peru. Sometimes the earth is mixed with straw and sand to give it a greater binding capacity.

15

Cada fotografía está acompañada por una descripción en castellano como también en inglés. Las descripciones intentan dar un sentido del ambiente y la situación mostrada en cada imagen, las cuales confirman mi experiencia personal, por lo tanto, a cada una está asociada una historia.

Debido a que las fotografías en blanco y negro de película son raramente vistas en estos días de la era digital de fotografías a color, creo que este libro tiene algo no tan común en su contribución, pues, además, son imágenes captadas entre veinticinco y cuarenta años atrás, respectivamente.

De estas fotografías, 26 han sido mostradas al público antes en ocho exhibiciones –desde 1983 hasta 1991–, en los Estados Unidos, Bolivia y el Perú. La primera exhibición fue en 1983 en los Estados Unidos como parte de una muestra fotográfica de mi padre y de mis dos hermanos, en el colegio que asistimos en Pensilvania. Cada uno de nosotros escogimos un tema para nuestras exhibiciones respectivas. El mío fue titulado "Gente, Patrones y Lugares del Perú". Otra exhibición en Pensilvania fue en un Banco cerca del mencionado colegio.

En Bolivia hubieron dos exhibiciones en 1991. El primero fue en La Paz, en el Instituto Nacional de Cultura. Estuvo auspiciada por las embajadas peruana y norteamericana. El segundo fue en Oruro, en el Museo Nacional de

The pictures in the second period are from Arequipa, Huancayo and Cusco and from marginal settlements in Lima. They show people in daily activities as well as pictures with different angles and patterns.

Each picture is accompanied by a descriptive narrative in both Spanish and English. The descriptions intend to convey the ambiance and the situation shown in the photos. Each photo represents a personal experience of mine so in a sense each one also has a story to go with it.

Since black and white pictures from film are rarely seen these days in the era of color digital photographs, I feel this book has something unusual to contribute. Also, the photographs are of times past – over 40 and 25 years ago respectively.

Some 26 of these pictures have been shown to the public before in eight photography shows from 1983 to 1991 in the United States, Bolivia and Peru. The first one in 1983 in the U.S. was part of an exhibition of photos by my father and two brothers at the high school we all attended in Pennsylvania. Each one of us picked a theme for our respective exhibits. Mine was entitled "People, Patterns and Places of Peru". Another exhibition in the U.S. was at a bank near this high school.

In Bolivia there were two exhibitions in 1991. The first was in La Paz at the National

Antropología "Eduardo López Rivas" y titulado "Imágenes del Perú".

En el Perú hubieron cuatro exhibiciones en 1991, en las sedes del Instituto Cultural Peruano-Norteamericano de Lima, Chiclayo, Trujillo y Arequipa. En este entonces estuve trabajando para la Agencia de Desarrollo Internacional de Estados Unidos (USAID) en La Paz, Bolivia. Debido a las regulaciones de seguridad del gobierno norteamericano (fue durante la época del grupo terrorista Sendero Luminoso), solo pude asistir a la de Arequipa.

Mis dos años como voluntario en el Cuerpo de Paz en el Perú fue una experiencia que cambió mi vida. Cuando yo me gradué en la universidad como bachiller en Historia, no tenía ninguna idea de lo que quería hacer por el resto de mi vida. La experiencia del Cuerpo de Paz me dío la orientación que me faltaba. Fue el comienzo de la preparación para una carrera en desarrollo internacional trabajando y viviendo en otras culturas –principalmente en América Latina.

Mis primeros dos meses en el Perú trabajé con arqueólogos peruanos y norteamericanos en las ruinas de Huánuco Pampa y Huánuco Viejo, un centro administrativo incaico ubicado en la carretera principal entre el Cusco y Quito. Vivía en una carpa en el altiplano a 4,300 m.s.n.m. Me dió la oportunidad para trabajar a diariamente con gente local y aclimatarme a la cultura serrana y a la altura.

Cultural Institute. It was co-sponsored by the Peruvian and American embassies. The second was in Oruro at the National Museum of Anthropology "Eduardo Lopez Rivas" and entitled "Imagenes del Peru".

In Peru there were four exhibitions in 1991 at the Peruvian-American Bi-national Institutes in the cities of Lima, Chiclayo, Trujillo and Arequipa. At the time, I was working for the US Agency for International Development (USAID) in La Paz, Bolivia. Due to United States Government security regulations at the time (this was during the time of the Shining Path terrorist group), I was only able to attend the inauguration in Arequipa.

My two years as a Peace Corps Volunteer in Peru were a life-changing experience. When I graduated from college with a BA degree in history, I had absolutely no idea what I wanted to do for the rest of my life. The Peace Corps experience gave me the direction that I lacked and it was the beginning of the preparation for a career in international development working and living in other cultures – primarily in Latin America.

My first two months in Peru were spent working with Peruvian and American archaeologists at the ruins of an Inca administrative center, known as Guanuco Pampa and Huanuco Viejo, on one of the main highways between Cusco and Quito. I lived in a tent on a plateau at 14,000 feet altitude. It gave me the opportunity to work with local people

17

Al final de estos dos meses, comencé a trabajar para un ingeniero peruano de una agencia de desarrollo comunal del gobierno, Cooperación Popular. Fue uno de los proyectos principales del Presidente Fernando Belaunde Terry[1]. El programa fue diseñado para restablecer la práctica incaica de labor comunal (*minka*) en desarrollar proyectos comunales. Muchos de estos proyectos fueron escuelas construidas de materiales locales. Nuestro jefe fue el ingeniero Manuel Leyva Cano, una persona muy dinámica y dedicada. Pidió ayuda al Cuerpo de Paz debido a que su oficina era responsable para dos provincias en el departa-

on a daily basis and to acclimatize myself to sierra culture and to the altitude.

At the end of those two months, I began working for a Peruvian engineer from a community development agency of the Peruvian government known as *Cooperación Popular*. It was one of the flagship projects of the President at the time, Fernando Belaunde Terry[2]. The program was designed to re-establish the Inca practice of communal labor (*minka*) in developing community projects, many of which were schools built of local materials. The Peruvian engineer, and our boss, Manuel Leyva Cano, was a very dynamic and dedicated individual. He had requested help from the Peace Corps because his office was responsible for covering two provinces in the Department of Huanuco – Dos de Mayo and Huamalies. However, he really only had the personnel to cover Dos de Mayo. So the Peace Corps decided to send two volunteers to assist him. Thus I had the good fortune of working with another Peace Corps Volunteer Jack Hoffbuhr, a civil engineer. We worked together very well as a team with him as a technician and me as the "Specialist in Community Development". In two years we never had an argument even though we were living together in a small room with one door

---

1. Tuve la suerte de conocer al Presidente Belaúnde personalmente por casi treinta años. La primera vez que me encontré con él fue en Washington, DC en 1974 cuando él fue un profesor visitante en la Universidad George Washington durante su exilio del Perú después de un golpe de estado en 1968. Invité al arquitecto y a su esposa, Violeta, a nuestra casa para cenar, nunca esperando que iban a venir. A mi sorpresa, vinieron para cenar y este fue el comienzo de una gran amistad muy larga. También tuve la gran fortuna de estar en el Perú cuando el Presidente Belaúnde inició su segunda campaña para presidente en 1978. Visité su oficina de campaña, asistí a su inauguración en 1980 y lo visité en el Despacho Presidencial, una vez con mis dos hijos, Adán y Leo. Cuando yo estaba trabajando en Bolivia desde 1990 hasta 1994 muchas veces viajé a Lima y visité al arquitecto y a su esposa en su departamento. Estuvieron siempre muy contentos por verme y me daban la bienvenida en su casa. Siempre usaron el término formal "usted" conmigo y me llamaba por mi apellido. En 1991, para el aniversario de treinta años del Cuerpo de Paz, mi hijo Adán (quien también fue un voluntario del Cuerpo de Paz en El Salvador en 1999 hasta 2001) y yo entrevistamos el Presidente Belaúnde para escuchar y filmar sus memorias del Cuerpo de Paz. Tuvo muy alta estimación para los voluntarios y muchas veces los invitó a Palacio durante su primer mandato. La última vez que lo ví fue en el año 2001 cuando almorcemos solamente los dos. Su esposa recientemente había fallecido y él estaba muy deprimido debido a que ellos fueron muy unidos y trabajaron juntos muchos años como un equipo. Yo presentía que esta era probablemente la última vez que lo veía. Mi presentimiento fue cumplido al año siguiente (2002) cuando falleció. Me siento muy honrado por haber conocido a este gran hombre personalmente y por tanto tiempo. Realmente creo que fue uno de los grandes presidentes en la historia moderna del Perú debido a su visión y por los programas que desarrolló para su país.

2. I had the good fortune to know President Belaunde personally for nearly 30 years. I first met him in Washington, DC in 1974 when he was a visiting professor at George Washington University during his exile from Peru after a coup d'état in 1968. I invited him and his wife, Violeta, to our house for dinner, never expecting that they would come. To my surprise, they came for dinner and this was the beginning of a long friendship. I also had the good fortune to be in Peru when

mento de Huánuco –Dos de Mayo y Huamalíes. Sin embargo, solo tenía personal adecuado para trabajar en Dos de Mayo. Por lo tanto, el Cuerpo de Paz decidió enviar dos voluntarios para ayudarlo. Así tuve la suerte de trabajar con otro voluntario del Cuerpo de Paz, Jack Hoffbuhr, un ingeniero civil. Trabajamos muy bien como un equipo, él como el técnico y yo como el "Especialista en Desarrollo Comunal". En dos años nunca tuvimos una pelea aunque estuvimos viviendo en un cuarto pequeño con una puerta y sin ventanas. Durante el día dejamos abierta la puerta para iluminar el cuarto. Resulta que personas curiosas pasaban, entraban y conversaban con nosotros. Así conocemos muchas personas en Llata. Nos sentimos como miembros de la comunidad porque la gente del pueblo nos aceptó así.

Desde el primer día en Llata, en octubre 1965, formé una amistad con un profesor de inglés, Manuel Ibazeta Vargas. Esta amistad ha durado hasta ahora –por casi 45 años–. Él se casó con una de sus alumnas, Oquelinda Rivera, y formaron una linda familia con dos hijas y un hijo. Frecuentemente los visito y con ellos recordamos esos tiempos en Llata. Mañuco es uno de los mejores amigos que he tenido de toda mi vida. He conocido su hija menor, Celeste, desde su niñez y me considera su "segundo padre".

Otro amigo querido de Llata es Fortunato Morales, quien fue el secretario del

and no windows. During the day we left the door open to let the light in. This also meant that curious people passing by would come in and talk to us. That is how we got to know many people in Llata. We felt like members of the community because the townspeople accepted us as such.

From the first day in Llata in October 1965, I formed a friendship with an English teacher, Manuel Ibazeta Vargas. This friendship has lasted until now – for nearly 45 years. He married one of his students, Oquelinda Rivera, and they formed a beautiful family with two daughters and one son. I often visit them and we remember those days in Llata. Mañuco is one of the best friends I have had in my entire life. I have known his youngest daughter, Celeste, since she was a little girl and she considers me her "second father".

Another dear friend from Llata is Fortunato Morales, the secretary for the subprefect of the province. He rented us the small room on a main street where we lived for

President Belaunde began his second campaign for president in 1978. I visited his campaign office, attended his inauguration in 1980 and visited him many times in his presidential office, once with my two sons, Adam and Leo. When I was working in Bolivia from 1990 to 1994 I would often come to Lima and visited him and his wife in their apartment. They were always so glad to see me and welcomed me to their home. They both always used the formal term *usted* with me and called me by my last name. In 1991 for the 30th anniversary of the Peace Corps, my son Adam (who was also a Peace Corps Volunteer in El Salvador, 1999 to 2001) and I interviewed President Belaunde to hear and film his recollections of the Peace Corps. He had a very high regard for Peace Corps Volunteers and often invited them to the *Palacio* during his first administration. The last time I saw him was in 2001 when just the two of us had lunch at his apartment. His wife had recently died and he was very depressed because they were very close and worked together many years as a team. I knew that this was probably the last time I would ever see him. Indeed, he died a year later in 2002. I feel honored to have known this great man personally and for so long. I truly believe he was one of the great presidents in Peruvian modern history due to his vision and the programs he developed for his country.

subprefecto de la provincia. Nos alquiló el pequeño cuarto en una calle principal donde vivimos por dos años, lo que nos permitió conocer varios miembros de la comunidad como mencioné antes. Llegamos a ser amigos de toda su familia.

Nuestro vecino en frente, Pompeyo Caqui, y su familia también llegaron a ser buenos amigos. El fue uno de los dos fotógrafos en Llata. Su estudio fotográfico fue una maravilla de tecnología apropiada. Por ejemplo, su estudio consistió de una caja grande de refrigeradora con un hueco para que entrara la luz, lo cual se enfocó en la "pared" opuesta, que sirvió para ampliar e imprimir las fotos.

Una descripción de nuestra vida en Llata no sería completa sin mencionar a Mario Tapia Juypa, el dinámico subprefecto de la provincia de Huamalíes. Fue el representante del gobierno nacional. Viajó fielmente con nosotros a varios de los caseríos en la provincia, siempre llevando su traje y corbata mientras cabalgo. El fue uno de los mayores apoyos que tuvimos para nuestros proyectos de construcción de escuelas. A veces daba un discurso muy apasionado en la entrega de materiales para las escuelas.

En 1981, después de 14 años, regresé a Llata con mis dos hijos, Adán y Leo, con una caravana de llatinos. Nos alojamos en el mismo cuarto donde viví con Jack. La única diferencia

two years, which permitted us to meet many members of the community as mentioned above. We became friends with his whole family.

Our neighbor across the street, Pompeyo Caqui, and his family also became close friends. He was one of Llata's two photographers. His photo studio was a marvel of appropriate technology. For example, his darkroom was a large refrigerator crate with a hole to let in light which was focused on the opposite "wall" for photo enlargement and printing.

No description of our life in Llata would be complete without mentioning Mario Tapia Juypa, the dynamic subprefect of the Province of Huamalies. He was the national government's representative. He faithfully traveled with us to many of the *caserios* in the province, always wearing a suit and tie as he rode horseback. He was one of the biggest supporters for our school building projects and sometimes gave an impassioned speech upon delivery of the materials for the schools.

In 1981, after 14 years, I returned to Llata with my two sons, Adam and Leo, with a caravan of *llatinos*. We stayed in the same room where I had lived with Jack. The only difference was that the walls were another color. More recently, in 2004, I returned to Llata with Adam, my older son, the youngest daughter of Mañuco and Oqui - Celeste, the sister of Mañuco – Carmen and the brother of Oqui –

fue que las paredes eran de otro color. Recientemente, en el 2004, regresé a Llata con Adán, mi hijo mayor, la hija menor de Mañuco y Oqui –Celeste, la hermana de Mañuco– Carmen y el hermano de Oqui– César. Fue una visita inolvidable y de mucha alegría. Increíblemente después te casi 40 años, hubo gente en Llata que me recordaba.

Durante nuestro tiempo en Llata, hace 45 años, vivimos una vida muy simple. Muchas veces en la madrugada llegaron comuneros de uno o más caseríos con caballos, mulas o burros para llevarnos a su comunidad, para trazar una escuela u observar el progreso en su construcción. A veces caminamos– era más rápido. La vida de los comuneros siempre me hizo sentir muy humilde. Eran muy trabajadores, lucharon contra muchas dificultades y sufrimientos y eran muy pobres. A pesar de todo tuvieron mucha dignidad y orgullo. Siempre tuve mucho respeto y admiración para ellos.

Cada día fue una nueva experiencia llena de impresiones múltiples. El siguiente es un cuento que escribí en 1967 mientras que vivía en Llata[2], la capital de la provincia de Huamalíes, en el último año de mi servicio con el Cuerpo de Paz. Este cuento, titulado "La Tierra Desafiante", fue publicado en el *Friends Journal* el mismo año. Es una serie de

César. It was a very happy and memorable visit. Incredibly, after almost 40 years there were still people in Llata who remembered me.

During our time in Llata nearly 45 years ago, we lived a very simple life. Many times in the morning the *comuneros* from one or more of the *caserios* would arrive with horses, mules or donkeys to take us to their community to survey for a school or to observe the progress of the construction. Sometimes we would just walk – it was faster. The life of the *comuneros* always made me feel very humble. They were very hard workers; they struggled against many difficulties and sufferings and were very poor. In spite of all this they had such dignity and pride. I always had great respect and admiration for them.

Every day was a new experience filled with multiple impressions. The following is a story I wrote in 1967 while living in Llata[3], the capital of the Province of Huamalies, in the last year of my Peace Corps service. This story, entitled, "The Defiant Land", was published in the *Friends Journal* the same year. It is a series of impressions from my two years in Huamalies, but all put into a story as if these were experienced in one day of travel on horseback. This story was published with photos from this collection.

2. En aquellos días un refrán escuchado en Llata fue "Llata, donde la vida es barata, cinco panes por medio y una llatina de yapa"

3. In those days a common verse heard in Llata was "Llata, where the life is cheap, five breads for S/.50 and a *llatina* (girl from Llata) as a bonus."

impresiones de mis dos años en Huamalíes, pero incorporado en un cuento como si fueran experiencias de un solo día cabalgando. Este cuento fue publicado con fotos de esta colección.

"Yo monto mi Rocinante y comienzo el viaje por la tierra inalterable pero que se transforma. La senda llena de piedras esculpida por ellos que seguían esta ruta anteriormente, trata de imitar al río serpiente poderosa que se agita y voltea, trona y ondula su vía sin sueño lejanamente abajo.

Mi viaje me lleva por eucaliptos erectos con sus dedos azules-verdes vibrando en el viento suave. Miro arriba a los cerros que cortan al cielo, sus precipicios majestuosos coronados por las ruinas de depósitos circulares- un recuerdo perpetuo de la grandiosidad del imperio que una vez penetró esta tierra en el cielo. Mis ojos se caen a la senda donde dos escarabajos luchan por mover una bola chica del suelo. Los bichos voltean adelante y atrás, hacen poco progreso. Ningún ser viviente esta cómodo en esta tierra. Quizás Dios le haya escogido para su tierra de prueba, porque solo ellos trabajando penosamente puedan sobrevivir. Aquí está donde la gente gana el privilegio de la vida.

"I mount my Rocinante and begin the ride through the unchanged, but changing land. The trail – a rock filled path sculptured by those who have traveled this way before – tries to follow the mighty serpentine river tossing and turning, thundering and rolling its sleepless way far below.

My journey takes me past erect eucalyptus trees with blue-green fingers fluttering in the gentle breeze. I gaze upward to ridges cutting into the heavens, their majestic cliffs topped by ruins of circular storehouses – a lasting reminder of the grandeur of the empire that once penetrated this land in the sky. My eyes fall to the trail where two beetles struggle to move a small ball of earth, rolling it forward and backward, making little progress. No living thing is comfortable in this land. Perhaps God has chosen it as his testing ground, for only those who work hard to sustain life may survive. Here one earns the privilege of life.

My eyes, wandering along the barren slopes, fall upon teams of *indigenas*

Mis ojos se mueven pensativamente a lo largo de los declives infecundos y se caen en grupos de indígenas quienes cortan surcos con sus *chakitakllas*[3] en desafío de la naturaleza, exprimir una existencia de la tierra renuente. Desentierran, tiran atrás, retroceden –el ritmo sigue incesantemente mientras suben lentamente en la chacra vertical. Son seguidos por otros trabajadores con azadones quienes destrozan los terrones recientes del césped estéril. Ellos, como sus antepasados, no conocían los andenes de sus conquistadores incaicos, porque esta gente vivía lejos del ombligo de los cuatro mundos del Tahuantinsuyo.

Una familia se me acerca en el camino de herradura. Conducen lo que parecen cargas grandes de paja con piernas y caras de burros. Un hombre sigue doblado por una carga de leña. Percibo el olor nauseabundo de la coca y veo sus dientes marrones. ¿Quién puede culparle por tratar de aliviar la realidad completa de las privaciones? Los ojos tristes de la mujer se encuentran con los míos. Su bebé de cara redonda rebota de lado a lado en su espalda, mientras que ella avanza con lentitud. Todo el tiempo torciendo con sus dedos, ella hila usando un

(indigenous people) etching furrows with their crude plows (*chakitakllas*)[4] – and trying, in defiance of nature, to squeeze an existence from a reluctant earth. Dig, pull, step back – the rhythm continues incessantly as they move slowly up the vertical field. They are followed by other workers with implements for shattering the fresh clumps of sterile sod. Neither they nor their ancestors know of the terraces of their Inca conquerors because these people live very far from the navel of the four worlds of Tahuantinsuyo (the Inca empire).

A family approaches on the trail, driving what appear to be great bundles of grass with the legs and faces of donkeys. A man follows, bent double with a load of sticks. I catch the sickly sweet smell of coca and see his brown-stained teeth. Who can blame him for trying to ease the full reality of his hardships? The sad eyes of his wife meet mine. The round-faced baby on her back bounces from side to side as she plods forward. All the while, with a twist of her wrist, she is spinning. Using a *shuntu*[5] she pulls the crude wool from a ball carried on a stick. There are many who need the warmth

3. Un arado de pie de la sierra. Se empuja con el pie al pedal para cortar la tierra y luego jalando hacia atrás.

4. A highland foot plow. The foot pedal is pushed to break the earth and then pulled back.
5. Long stick with a stone at the end which is spun between the fingers to pulled form a thread.

shuntu[4] mientras lo jala de una bola de lana cruda llevando un palo. Hay muchas que necesitan el calor de los artículos que serán tejidos de este hilo. Cinco niños andrajosos de tamaños diferentes conducen una mezcla de animales –chanchos, ovejas y cabras– alimentos y calor para una familia grande. Algunas vidas son sacrificadas a fin de que otras puedan seguir viviendo, pero nadie desafía la muerte a largo plazo porque es la campeona aquí.

Cuando el camino se estrecha, mi caballo mal nutrido salta para evitar los brazos largos y espinosos del maguey con sus tallos gigantes de espárragos. Nos acercamos al caserío de Yanabamba y pasamos entre estructuras de tapial con muchas grietas, cada una guarecida por un techo de paja decayendo. Unas cuantas viviendas tienen techo de calamina que brilla orgullosamente en el sol. La calle llega a una plaza chica –cubierta con hierba circulada por una capilla de tapial con su torre torcida, una escuela con piso de tierra, interiormente oscura y otras estructuras mal construidas de tapial.

Fuera de *"winchi, taytay"* (hola, señor) de los comuneros quienes me saludan, oigo el lamento de un huayno con

of the articles to be woven from this thread. Five ragged children of assorted sizes drive a miscellany of pigs, sheep and goats – food and warmth for a large family. Some lives are sacrificed so that others may live, but no one defies death for long because she is the champion here.

As the trail narrows, my undernourished mount lurches to avoid the long prickly arms of the maguey plants with their giant asparagus stalks. We approach the small community of Yanabamba and pass between crack-ridden *tapial* structures, each sheltered by a decaying grass roof, or occasionally by a corrugated metal roof which glistens proudly in the sunlight. The street leads to a small, grass covered plaza surrounded by a chapel with a crooked bell tower, a school, dirt-floored and dark, and other poorly built earthen structures.

Above the *"winchi taytay"* (hello, sir) of the comuneros who greet me, I hear the stringed sounds of a whining, high pitched *huayno*, and

---

4. Largo palo con piedra redonda al final que se gira entre los dedos para formar un hilo.

tono alto, veo los pasos familiares del baile pañuelo agitado. Un funcionario me conduce al sitio inclinado de la escuela nueva. Veo cerca los adobes listos y amontonados y con la ayuda de los comuneros trazo el sitio con una soga anudada y pongo las estacas para el proyecto comunal. Cuando el trabajo esta terminado, digo algunas palabras sobre el valor del desarrollo comunal.

Después me conduce a un cuarto oscuro con vigas torcidas y techo de barro seco donde una comida comienza con cancha salada y tostada, sopa de fideos, papas y carnero. Cuye picante con arroz seguido por *pachamanca* y té tibio completa el almuerzo grande. Durante la comida veo dos bailes indígenas– el *tuitui* y la *huanca*. Los hombres bailan con bastones al sonido de una flauta de bambú con tono alto y una tambor resonante de cuero de cabra.

Dando gracias a mis anfitriones, digo *"aywalá"* (adiós) a la gente de Yanabamba. Al salir de la comunidad de casas de tierra, agito la mano a un viejo sentado. Por cuya cintura dan vuelta los hilos tensos y coloridos de un poncho que teje para diversos usos. A poca distancia, mas adelante, paso por las ruinas solitarias de una casa de tapial sin techo –un monumento a una vida triste.

look up to see the familiar steps of the handkerchief-waving dance. An official leads me to the inclined site for the new school. Seeing the waiting adobes piled nearby, with the help of the *comuneros* I survey the site with a knotted rope and place the stakes for the community project. When the job is finished, I say a few words on the value of community development.

Then I am led to a dark room with twisted rafters and a dry mud ceiling, where a starchy meal begins with slightly salted crisp popcorn *(cancha)* and noodle potato soup garnished with a chunk of mutton. Fried guinea pig *(cuye)*, served over rice, *pachamanca*[6] and lukewarm tea complete the huge lunch. During the meal I watch two indigenous dances: the *tuitui* and the *huanca*. The men dance with canes to the sound of a high-pitched bamboo flute and a low, booming goatskin drum.

Thanking my hosts, I say *"aywalá"* (goodbye) to the people of Yanabamba and leave the earthen community, waving to an old man who is leaning backward supported by taut colorful

6. Sheep or pig marinated and cooked in a subterranean oven for several hours.

Regreso por otra ruta y muy pronto la herradura rocosa se encuentra con una de las carreteras de la sierra. A lo largo de este camino de huecos y barro paso costales grandes llenos de papas, la cosecha principal de esta tierra hostil, esperando expectantemente ser llevado al mercado. De pronto oigo el ruido de un mixto –un vehículo hibrido medio bus y medio camión. Aparece en una curva, sus llantas muy gastadas intentan agarrar el barro. Los costados andrajosos desbordan con cuerpos humanos y de bestias. La carga amontonada encima se mece de un lado a otro mientras los cuyes chillan e indios gritan malditos en quechua a las ovejas que balan. Dos perros saltan de una choza primitiva y corren al lado, ladrando a las llantas.

Mientras el sol sigue su descenso rápido atrás de las cumbres, un hilo solitario de alambre telefónico hace una silueta contra la puesta del sol. Esta suspendido entre postes y árboles torcidos. Cruza y recruza valles y cumbres. Quizás la comunicación sea lenta por las irregularidades del terreno. Al otro lado del valle veo las piedras de explosiones recientes de un camino nuevo. Este recién llegado es parte de la familia de penetración que es engendrada por el presidente Fernando Belaunde Terry (llamado "Arquitecto de Esperanza") quien trata de

threads which he weaves into a multipurpose poncho. A short distance further on I pass the lonely ruins of a roofless tapial house – monument to a sad life.

As I return by a different route, the steep, rocky horse trail meets one of the "highways" of the sierra. Riding along this mudhole road, I pass large sacks filled with potatoes – the staple crop of this hostile land – waiting to be taken to market. Suddenly I hear the growl of a *mixto*, a hybrid vehicle – half bus, half truck. It rounds a curve, its well-worn tires clawing their way through the mud and its tattered sides overflowing with human and animal bodies. Its cargo, piled high on top, rocks to and fro. The *cuyes* squeal and the Indians shout curses, in Quechua (local indigenous language) at the bleating sheep. Two dogs leap out from a primitive hut and run alongside, barking at the tires.

As the sun continues its rapid descent behind the peaks, a single strand of telephone wire is silhoutted against the sunset, suspended from twisted poles and trees, crossing and recrossing the valleys and peaks. Perhaps communication is slowed by

26

tejer las tres partes remotas de la totalidad peruana. La tierra histórica se esta alterando lentamente a causa de que la costa mueve al interior. El sol se hunde tras la cordillera y Rocinante avanza con lentitud hacia esa capital alta. Mi trabajo del día esta terminado, pero mañana producirá perspectivas nuevas para este extranjero y esperanza nueva para la gente triste y feliz de esta tierra en el cielo[5]."

Por todas mis experiencias aquí, siento que Perú es mi segundo hogar. Viví aquí cuatro veces -la tercera vez desde febrero del 2004 hasta junio del 2007 en Cajamarca como Director de un programa de créditos para vivienda progresiva. La segunda vez trabajé con El Banco de la Vivienda y las mutuales –con un contraparte peruano como equipo–, y finalmente, mis dos años inolvidables en Llata y Huamalíes. Ahora estoy viviendo en el Perú para una cuarta vez porque quiero jubilarme en este querido país y hacerlo mi hogar permanente.

Mahlon Barash

the irregularities of the terrain. Across the valley, I see freshly blasted rock cut by a new road – part of the family of penetration fathered by Peru's President Fernando Belaunde Terry (called the "Architect of Hope") as he tries to weave together the three remote parts of the Peruvian totality. This historic land is changing as the coast moves inward. The sun sinks behind the peaks as Rocinante plods forward towards that high capital. My day's work is done, but tomorrow will bring new insights to this stranger - and new hope for the sad and happy people of this land in the sky[7]."

For all my experiences here, I feel that Peru is my second home. I have lived here four times – the third time from February 2004 to June 2007 in Cajamarca as Director of a progressive housing loan program; the second time with the National Housing Bank and the savings banks (I worked with a Peruvian counterpart as a team), and finally, my two unforgettable years in Llata and Huamalies. I am now living in Peru for a fourth time because I want to retire in this beloved country and make it my permanent home.

Mahlon Barash

5. Nota: Todas las citas en las leyendas de fotos siguientes vienen de este cuento.

7. Note: All the quotes in the following picture captions come from this story.

Plaza de Armas, Llata, 1966
Es el pueblo donde vivió entre 1965 y 1967. La iglesia con dos torres de campaniles es muy típica para una comunidad serrana. Al lado derecho de la iglesia es el instituto vocacional donde ayudamos en la construcción de una cancha de básquet. Los alumnos proveyeron la mano de obra y los materiales provinieron de Cooperación Popular. Visité a Llata en 2004 y la plaza parece muy similar tal como en 1966.

Plaza de Armas (town square), Llata, 1966
This is the town where I lived from 1965 to 1967. The church with the two bell towers is typical for a highland community. To the right of the church is the vocational institute where we assisted in the construction of a basketball court. The labor was provided by the students and the materials were provided by Cooperación Popular. I visited Llata in 2004 and the Plaza looks much the same as it did in 1966.

Sadi, Llata, 1966
Sadi, una de nuestras vecinas. Siempre nos fijó con sus ojos penetrantes.

Sadi, Llata, 1966
Sadi was one of our neighbors. She always looked at us with those penetrating eyes.

Señora Caqui, Llata, 1966
Nuestra vecina de en frente – una madre
cariñosa y muy orgullosa de su hijito.

Mrs. Caqui, Llata, 1966
Our neighbor across the street -- a loving
mother very proud of her young son.

Pachamanca, Llata, 1967

Pachamanca, que significa literalmente "horno de tierra" en quechua, consiste de excavar un hueco profundo, poniendo en todos lados rocas calentadas por varias horas, colocando carne de carnero o puerco marinado durante toda la noche en una mezcla de hierbas y otros sabores. El hueco está cubierto con más rocas calientes y por encima agrega una lámina de paja. Después colocan muchas papas encima que están cubiertos con más paja. Finalmente la masa está tapada con tierra. Se deja muchas horas para cocinar. La cocina es muy eficiente porque el calor no se puede escapar.

Pachamanca, Llata, 1967

The pachamanca, literally "earth oven" in Quechua, consists of digging a large hole, lining it with rocks that have been heated for several hours, placing meat of mutton or pork that has been marinated overnight in a combination of spices and other flavorings and then covering it all with more heated rocks. Straw is then added and lots of potatoes are placed on top. This is covered with more straw and then finally dirt is piled is on top. This is then left for many hours to cook. It is a very effective way to cook because no heat can escape.

Lista para los bailes, Llata, 1967

Esta niña está lista para bailar en "Las Pallas", uno de los bailes tradicionales presentados por los niños y adultos una vez al año en Llata durante las Fiestas Patrias en julio. Su orgullosa madre se esconde atrás de ella.

Ready for the Dances, Llata, 1967

This little girl is all ready to dance in Las Pallas, one of the traditional dances performed by both children and adults once a year in Llata during the Independence Day celebrations in July.
Her proud mother peeks from behind her.

33

Tuitui, Llata, 1967
*Otro baile tradicional que se hace con mucho
tambor, sacudiendo y pisando fuerte.*

Tuitui, Llata, 1967
*Another traditional dance which is performed with
a lot of drumbeating, shaking and stamping of feet.*

34

El Valle del Marañón, 1966

Cuando bajamos a una herradura muy inclinada yendo este de Llata, entramos en la valle del río Marañón. Este río es conocido como "la serpiente de oro" de Ciro Alegría, "...la serpiente poderosa que se agita y voltea, atrona, y ondula su vía sin sueño lejanamente abajo."

The Marañon Valley, 1966

As we went down a steep horse trail going east from Llata, we descended into the valley of the Marañon River. This is the river known as the "golden serpent" of Ciro Alegria."...the mighty serpentine river tossing and turning, thundering and rolling its sleepless way far below."

35

La familia Berrospi, Morca, 1966
Una de las familias muy trabajadoras de la comunidad serrana Morca. Este pequeño caserío se ubica en un valle protegido junto al río Marañón, un tributario del río Amazonas. Trabajamos con la comunidad para construir una nueva escuela.

The Berrospi Family, Morca, 1966
One of the hard-working families of the small highland (sierra) community of Morca. This small village (caserío) is in a protected valley along the Marañon River, a tributary of the Amazon. We worked with the community here to build a new school.

Una familia grande con amigos, Morca, 1966
Una familia grande en frente de su casa. La mayoría de familias campesinas son grandes que significa manos para tareas familiares y labor en las chacras como también para construcciones como esta casa. Da mucha importancia a la familia extendida. Esta casa de dos pisos esta construida de tapial o tierra pisada. Dos grandes y largas tablas están colocadas en ambos lados de la pared y luego se pone tierra húmeda. La tierra se compacta pisándola y pegándola con martillos de madera como consta en la foto. Las dos tablas luego se adelantan y la tierra es pegada de afuera con martillos de madera. Es un tipo de construcción muy común en la sierra peruana. Muchas veces la tierra esta mezclada con paja y arena para darle mejor capacidad de pegamento. Nota el maíz colgado para secar en las barras. Una practica común es que los vecinos ayudan con la construcción en forma recíproca. Esta tradición de colaboración viene de los tiempos de los incas en lo cual, tales esfuerzos entre vecinos se conocían como ayni.

A Large Family with Friends, Morca, 1966
A large family in front of their house. Most indigenous families are large which means hands available for family chores and labor in the fields as well as for construction such as this house. Much importance is given to the extended family. This house of two stories is being constructed of tapial or rammed earth. Two long large boards are placed on either side of the wall and then humid earth is thrown in between. The earth is then compacted by stomping on it and pounding it with wooden mallets like the one at the top of this picture. The two boards are then moved forward and the earth is pounded from the outside with the mallets. This is a very common type of construction in the highlands of Peru. Often the earth is mixed with straw and sand to give it a greater binding capacity. Notice the maize being hung to dry on the crossbars. A common practice is to have neighbors help with the construction in a reciprocal fashion. This tradition of collaboration dates back to the time of the Incas where such collaborative efforts among neighbors were known as the ayni.

37

El trazo, Huayo, 1965

El primer paso en la construcción de una escuela fue el trazo para el cimiento. Normalmente, tales trazos se hacen con un teodolito. Sin embargo, estos instrumentos no estuvieron disponibles y nadie fue entrenado para usarlos en las comunidades de Huamalíes. Una alternativa mucho más sencilla consiste en usar una soga o cinta con nudos aplicando geometría elemental – el triangulo 3-4-5 de la teoría Pythagorean. Así fue una manera de transferir tecnología apropiada que podría ser usada en el trazo de cimientos para casas particulares. "Un funcionario me conduce al sitio inclinado de la escuela nueva. Veo cerca los adobes listos y amontonados y con la ayuda de los comuneros trazo el sitio con una soga anudada y pongo las estacas para el proyecto comunal. Cuando el trabajo esta terminado, digo algunas palabras sobre el valor del desarrollo comunal."

The Survey, Huayo, 1965

The first step in school construction was the survey for the foundation. Normally, such surveys would be done with a transit. However, such instruments were not available and no one was trained to use them in the communities of Huamalies. A much simpler alternative was to use a knotted rope or tape applying grade school geometry -- the 3-4-5 triangle of the Pythagorean theorem. This was also a way to transfer appropriate technology which could be used in the survey for house foundations. "An official leads me to the inclined site for the new school. Seeing the waiting adobes piled nearby, with the help of the comuneros I survey the site with a knotted rope and place the stakes for the community project. When the job is finished, I say a few words on the value of community development."

Secando adobes, Morca, 1966
Después que sacan los adobes de los moldes, deben secarlos en el sol y luego cortarlos dándoles forma.

Drying Adobes, Morca, 1966
After the adobe bricks are taken out of the molds, they must be dried in the sun and trimmed.

Ascensor humano, Morca, 1967
Las paredes de la escuela se levantan mientras los adobes son subidos en la espalda de un comunero trabajador y luego puesto en su posición usando mortero de barro.

Human Elevator, Morca, 1967
The school walls begin to rise as adobes are lifted on the back of a hard-working community member and then placed in position using mud mortar.

Midiendo adobes, Morca, 1967
Señor Berrospi mide adobes antes de
colocarlos.

Measuring Adobes, Morca, 1967
Mister Berrospi measures adobes before
laying them in place.

Una pausa para discusión, Morca, 1967
Estoy discutiendo el progreso de la construcción y los próximos pasos con los comuneros.

A Pause for Discussion, Morca, 1967
I am discussing the progress of the school construction and the next steps with the community members.

El serrucho largo, Porvenir, 1966 ▶
Cortando los listones para la escuela requiere un serrucho de dos personas. La comunidad provee materiales locales, uno de los cuales son listones de madera cortados de árboles de eucaliptos.

The Long Saw, Porvenir, 1966
Cutting the rafters for the school requires a two person saw. The community supplied local materials, one of which was the wooden rafters cut from eucalyptus trees.

44

Colocando listones, Morca, 1967
Sr. Figueroa clavando los listones para el alero de la escuela.

Placing Rafters, Morca, 1967
Mr. Figueroa is nailing the rafters for the eaves of the school.

Listo para el techo, Morca, 1967
Luego de construida la escuela con adobes y colocando los listones, esta lista para colocar la calamina proporcionada por Cooperación Popular, *una agencia de desarrollo comunal del gobierno peruano. Pero las puertas, ventanas y carpetas son una donación de la escuela correspondiente en los Estados Unidos.*

Ready for the Roof, Morca, 1967
After constructing the school with adobes and placing the rafters, it is ready for the corrugated metal roofing sheets which are contributed by Cooperación Popular, *a community development government agency of the Peruvian government. But the doors, windows and desks were purchased with a donation from a correspondent school in the United States.*

Cortando la calamina, Morca, 1967
Sr. Figueroa cortando la calamina bajo la mirada de los alumnos de Morca quienes se beneficiarán inmensamente de la nueva escuela.

Cutting the Roofing, Morca, 1967
Mr. Figueroa is cutting the roofing sheets under the watchful eye of the students of Morca who will benefit greatly from the new school.

Colocando el techo, Porvenir, 1966
La calamina debe ser clavada con cuidado
en los listones para no crear
huecos no deseados.

Putting on the Roof, Porvenir, 1966
The metal sheeting must be nailed
carefully right over the rafters so as not to
create any unwanted holes.

El maestro de obra, Morca, 1967
Este señor provee su conocimiento técnico para supervisar la construcción de la escuela. Aquí esta preparando una soga para juntar las piezas de la puerta de la escuela.

The Master Foreman, Morca, 1967
This man provides his technical knowledge to oversee the school construction. Here he is preparing a rope to be used as a "vice" to tighten the pieces of the school door.

Durmiendo con el yeso, Nuevas Flores, 1967
El día que entregamos el yeso, las puertas, las ventanas y otros materiales para la escuela de Morca a un pueblo en el otro lado del río, la mayoría de los comuneros ya fueron bien emborrachados en celebración. Sabemos que si tratarían de llevar los materiales cruzando el puente estrecho encima del río Marañón, la mayoría de ellos probablemente caería al río. Por lo tanto, decidimos esperar hasta la mañana siguiente para el transporte con comuneros más sanos. Sin embargo, tuvimos que guardar los materiales durante la noche pero sin lugar para almacenarlos, por lo tanto dormimos con los materiales en la calle. Aquí esta mi colega del Cuerpo de Paz el voluntario Jack Hoffbuhr a las 6 a.m. La familia atrás esta sacando kerosene para su cocina – lámparas y estufa.

Sleeping with the Plaster, Nuevas Flores, 1967
The day we delivered the plaster, doors, windows and other materials for the Morca school to a town across the river, most of the comuneros were already very drunk in celebration. We knew that if they tried to carry these materials across the narrow bridge over the Marañon River, most of them would probably end up in the river. Therefore, we decided to wait until the next morning for this transport and for more sober comuneros. However, we had to guard the materials during the night and had no place to store them, so we slept with the materials in the street. Here is my colleague Peace Corps Volunteer Jack Hoffbuhr at 6 AM the next morning. The family in the background is getting kerosene for their kitchen – lamps and stove.

49

Transporte de materiales, Nuevas Flores, 1967
Cargando yeso en burros para el transporte a Morca la mañana siguiente. Todos los materiales llegaron y ninguna bolsa cayó al río.

Transportation of Materials, Nuevas Flores, 1967
Loading plaster on donkeys for transport to Morca the next morning. All the materials arrived safely and not one bag fell into the river.

Labor comunal, Morca, 1967. ▶
Comuneros enyesando una pared de la escuela. Los materiales locales (adobes, listones, corisa, etc.) y mano de obra fueron proveídos por la comunidad. Los otros materiales (como yeso, calamina, puertas, ventanas, vidrio, carpetas, etc.) fueron comprados con fondos recolectados por un colegio primario (The Spoede School) en los Estados Unidos como un participante en el programa del Cuerpo de Paz - Escuelas Socias.

Communal Labor, Morca, 1967
Comuneros plastering a wall of the school. The local materials (adobes, rafters, cane for the eaves, etc.) and labor were supplied by the community. The other materials (e.g., plaster, metal roofing, doors, windows, glass, desks, etc.) were purchased with funds raised by an elementary school (The Spoede School) in the United States as a participant in the Peace Corps School Partnership Program.

La recepción de materiales para
Pampas del Carmen, Llata, 1966
Un oficial de la comunidad firma el recibo para las
puertas, ventanas y calamina. El subprefecto de la
provincia, Mario Tapia Juypa, mira con interés. El
secretario del subprefecto, Fortunato Morales, detiene
un espectador interesado.

The Receipt of Materials for
Pampas del Carmen, Llata, 1966
One of the community officials signs the receipt for the
doors, windows and roofing. The subprefect of the
province, Mario Tapia Juypa, watches closely. The
secretary of the subprefect, Fortunato Morales, holds
back an interested spectator.

Transporte por burro, Llata, 1966
Cargando la calamina para transporte a la
comunidad usando energía de burro.

Donkey Transport, Llata, 1966
Loading up the roofing for transport to the community
using donkey power.

Un escritorio con piernas, Morca, 1967
Una de las carpetas donadas por la escuela en los
Estados Unidos se lleva por el puente estrecho
encima del río Marañón.

A Desk with Legs, Morca, 1967
One of the desks donated by the school in the United
States is carried across the narrow bridge above the
Marañon River.

Tomando cerveza con los comuneros,
Pampas del Carmen, 1966
Celebrando la llegada de los materiales, tuvimos que
compartir cerveza con los comuneros. El subprefecto,
Mario Tapia y dos oficiales comunales observan a mi
colega Jack Hoffbuhr tomando en su turno.

Drinking Beer with the Comuneros,
Pampas del Carmen, 1966
Celebrating the arrival of the materials, we had
to share beer with the comuneros. The subprefect,
Mario Tapia, looks on as do two community officials
while my colleague Jack Hoffbuhr drinks during his turn.

Arpa serrana y violín, Porvenir, 1966.
*La llegada de los materiales fue celebrada con música
también. Estos son instrumentos serranos típicos.
El arpa tiene una caja de sonido muy grande con un
rango musical muy largo desde la base hasta el alto.
Estos instrumentos muchas veces acompañan el
huayno, "…oigo el lamento de un huayno
con tono alto, veo los pasos familiares del
baile pañuelo agitado."*

Sierra Harp and Violin, Porvenir, 1966
*The arrival of materials was also celebrated with music.
These are typical sierra musical instruments. The harp
has a very large sound box with a wide musical range
from base to high pitch. These instruments often
accompany the* huayno *(highland dance). "…I hear the
stringed sounds of a whining, high pitched* huayno*,
and look up to see the familiar steps of the handkerchief-
waving dance."*

Tambor serrano, Tambogán,
Provincia de Huánuco, 1966
*El tambor serrano esta hecho de un círculo de madera
con piel estirada encima. El músico normalmente toca
una flauta a la vez. Siempre se usa cuando hay una
celebración como la llegada de materiales, para
matrimonios, y para pachamancas, etc.*

Sierra Drum, Tambogán, Province of Huanuco, 1966
*The highland drum is made of a circle of wood with skin
stretched over it. The drum player usually plays a flute
at the same time. This is always used when there is any
celebration such as the arrival of the materials,
weddings, community feast of* pachamanca, *etc.*

56

Hermanitas, Morca, 1966
Una esta masticando caña de azúcar.
Las dos nos miran cuidadosamente.

Little Sisters, Morca, 1966
One is chewing on sugarcane.
They are both watching us very closely.

Niñas de Morca, Morca, 1966
Aquí están algunas de las niñas quienes se beneficiarán
de la nueva escuela. Todas parecen buenas amigas.

Children of Morca, Morca, 1966
These are some of the girls who will benefit from the
new school. They all seem to be good friends.

Firmando el acta Morca, 1967
Cada uno de los comuneros firma el documento oficial
señalando la entrega de materiales para la escuela.

Signing the "Act", Morca, 1967
Each of the comuneros are signing an official
document marking the occasion of the delivery of
materials for the school.

La firma de señora Berrospi, Morca, 1967
La señora esta firmando la carta comunitaria de agradecimiento a la Escuela Spoede, St. Louis, Missouri cuyos estudiantes colectaron $1,000, para ayudar en la construcción de una escuela comunitaria para Morca, un caserío serrano de aproximadamente 50 habitantes. Los comuneros contribuyeron con materiales y mano de obra local. La Sra. Berrospi obviamente siente gran orgullo por el hecho que puede firmar su nombre. El presidente del Comité de Desarrollo Comunal, Filomeno Figueroa, mira desde atrás.

Mrs. Berrospi's Signature, Morca, 1967
The señora is signing a community letter of thanks to The Spoede School of St. Louis, Missouri whose students collected $1,000 to help build a community school for Morca, an indigenous highland community of about 50 people. The comuneros contributed local materials and labor. Mrs. Berrospi clearly has great pride in the fact that she is able to sign her name. The President of the Community Development Committee, Filomeno Figueroa, looks on.

*Arados de pie incaico moderno, Hualgoy,
distrito de Llata 1966.*

La chakitaklla *(literalmente "pie de arado" en quechua,
el idioma indígena local) es básicamente un palo de
excavar modificado. El cuchillo es un muelle de carro o
camión hecho plano y ancho. El pedal esta atado a la
azada y al palo con cuero en hilo. Se empuja con el pie al
pedal para mover la tierra y luego jalando hacia atrás.
Estos hombres están laborando para ganar dinero con el
fin de comprar listones para la escuela comunal. El dueño
del terreno esta observándolos desde el fondo.*
Chakitakllas *un poco más grandes que un hombre
fueron usados en tiempos incaicos como se puede verificar
en los dibujos de Felipe Guamán Poma de Ayala en su
libro,* El Primer Nueva Corónica y Buen Gobierno.
Sin embargo, estas chakitakllas *son mucho más largas –
casi tres metros de largo. "Mis ojos se mueven
pensativamente a lo largo de los declives infecundos y se
caen en grupos de indígenas quienes cortan surcos con
sus* chakitakllas *en desafío a la naturaleza y exprimir
una existencia de la tierra renuente. Desentierran, tiran
atrás, retroceden – el ritmo sigue incesantemente
mientras suben lentamente en la chacra vertical. Son
seguidos por otros trabajadores con azadones quienes
destrozan los terrones recientes del césped estéril. Ellos
como sus antepasados, no conocían los andenes de sus
conquistadores incaicos, porque esta gente vivía lejos del
ombligo de los cuatro mundos del Tahuantinsuyo."*

Modern Inca Foot Plows, Hualgoy,
District of Llata, 1966

The chakitaklla *(literally "foot plow" in Quechua, the
local indigenous language) is basically a modified
digging stick. The blade is a flattened and flared car or
truck spring. The pedal is tied to the handle and shaft
by rawhide. These men are working to earn money to
buy rafters for the community school. The owner of the
land is standing watching them in the background.
Such foot plows about the height of a man were used in
Inca times as verified in drawings from the book by
Felipe Guamán Poma de Ayala,* El Primer Nueva
Crónica y Buen Gobierno. *However, these*
chakitakllas *are much longer -- nearly three meters in
length. "My eyes, wandering along the barren slopes,
fall upon teams of indígenas (indigenous people) etching
furrows with their crude plows -- and trying, in
defiance of nature, to squeeze an existence from a
reluctant earth. Dig, pull, step back -- the rhythm
continues incessantly as they move slowly up the
vertical field. They are followed by other workers with
implements for shattering the fresh clumps of sterile
sod. Neither they nor their ancestors know of the
terraces of their Inca conquerors because these people
live very far from the navel of the four worlds of
Tahuantinsuyo (the Inca empire)."*

**Un arado con energía animal, cerca de
la ciudad de Huánuco, 1966.**
*Este tipo de arado solo se puede usar
en tierra relativamente plana. Es menos
intensiva laboralmente que la
chakitaklla.*

**A Plow with Animal Power,
near the city of Huanuco, 1966.**
*This type of plow can only be used on
land that is relatively level. It is less
labor-intensive than the chakitaklla.*

Restaurando ruinas incaicas, Provincia de Dos de Mayo, 1965

Como parte de un proyecto de limpieza y consolidación del Instituto Nacional de Cultura y el Instituto Andino, el castillo principal o ushnu en el sitio conocido como Huánuco Viejo y Guánuco Pampa (por arriba del pueblo de La Unión) esta restaurada piedra por piedra. Cada piedra caída tuvo que ser medida para determinar donde meterla, igual a un rompecabezas. Utilizando tecnología apropiada de un trípode y polea, cada piedra fue llevada a su sitio. Comencé mi tiempo como voluntario del Cuerpo de Paz trabajando en este sitio arqueológico junto con gente campesina local y arqueólogos de la Universidad de Wisconsin. Vivíamos en carpas en el altiplano donde la altura fue aproximadamente 4,300 metros sobre el nivel del mar. Usamos estufas y linternas de kerosene para cocinar y para calefacción.

Restoring Inca Ruins, Province of Dos de Mayo, 1965

As part of a cleaning and consolidation project of the National Cultural Institute and the Andean Institute, the main castle or ushnu at the site known as Huánuco Viejo and Guanuco Pampa (above the town of La Union) is restored stone by stone. Each stone that had fallen had to be measured to see where it should fit in the wall, much like a jigsaw puzzle. Using appropriate technology of a tripod and pulley, each stone was lifted into place. I began my tour as a Peace Corps Volunteer working at this archaeological site along with local people and archaeologists from the University of Wisconsin. We lived in tents on the high altiplano where the altitude was approximately 14,000 feet above sea level. We used kerosene stoves and lanterns for cooking and warmth.

Sombras de listones, Distrito de Llata, 1966
Este tipo de casa es común en la sierra – paredes de tapial y listones ligeros con techo de paja. Con techo de paja no es tan importante que los listones sean rectos.

Rafter Shadows, District of Llata, 1966
This is a common type of house in the highlands -- rammed earth walls and light rafters with a thatched roof. With a thatched roof it is not that important for the rafters to be straight.

Techos serranos, Distrito de Llata, 1966
Para los techos la construcción indígena utiliza una mezcla de materiales como ichu y tejas de barro horneado.

Sierra Rooftops, District of Llata, 1966
For roofs indigenous construction uses a mixture of local materials such as ichu grass (thatch) and tiles of oven-baked mud.

Una torre solitaria de campanas, Provincia de Huánuco, 1966
Cada comunidad serrana tiene una torre de campanas con o sin una iglesia.

A Lonely Bell Tower, Province of Huanuco, 1966
Every highland community has a bell tower either with or without a church.

Un joven viajero, Tambogán,
Provincia de Huánuco, 1966
Este joven descansa junto al sendero.
Lleva ojotas o llanquis, las suelas de los cuales
están fabricados de llantas vehiculares

A Young Traveler, Tambogan,
Province of Huanuco, 1966
This young boy takes a rest along the trail.
On his feet are ojotas or llanquis, the soles of
which are made from vehicle tires.

Un anciano viajero, Tambogán,
Provincia de Huánuco, 1966.
Este viejo lleva un traje típico indígena con un
sombrero, casaca y pantalones de lana. Está
masticando hojas de coca mezcladas con cal. Se
adormece los sentidos contra el clima extremo de
la sierra - frió y altura. No lleva ningún tipo de
calzado. Sus pies son tan duros como cuero.

An Old Traveler, Tambogan,
Province of Huanuco, 1966
This old gentleman is wearing a typical
indigenous wool hat, jacket and pants. He is
chewing coca leaves mixed with a bit of limestone.
This dulls the senses against the harsh
highlandclimate -- cold and altitude. He is not
wearing any footwear. His feet have become as
hard as leather.

69

Colegiales, Tambogán, 1966
Estas niñas son de uno de los caseríos en la
provincia de Huánuco.

Schoolgirls, Tambogan, 1966
These girls are from one of the caseríos
(small communities) in the province of Huanuco.

El mejor amigo de un niño. Tambogán, 1966.
El perro es el mejor amigo y protector de un niño.

A Boy's Best Friend, Tambogan, 1966.
The dog is the boy's best friend and protector.

Un heladero agresivo. Huánuco, 1966.
*Los helados son vendidos directamente por el
heladero que sube al mixto, un vehículo serrano
muy común. Cada mixto tiene un nombre distinto. Este
se llama "El Picaflor". Otros nombres vistos en los
mixtos de los caminos serranos son:
"Rey de las Curvas", Terror de la Sierra", etc.
"De pronto el ruido de un mixto - un vehículo híbrido
medio bus y medio camión. Aparece en una curva, sus
llantas muy gastadas intentan agarrar el barro. Los
costados andrajosos desbordan con cuerpos humanos y
de bestias. La carga amontonada encima se mece de un
lado a otro mientras los cuyes chillan e indios gritan
malditos en quechua a las ovejas que balan."*

An Aggressive Ice Cream Vendor, Huanuco, 1966
*Ice cream is sold by direct marketing as this salesman
clambers aboard a mixto, a common highlands vehicle.
The mixtos each have a distinct name. This one is
called "the Hummingbird". Other names seen on the
mixtos of the highlands roads are: "King of the
Curves", "The Terror of the Sierra", etc.
"Suddenly I hear the growl of a 'mixto', a hybrid vehicle -
- half bus, half truck. It rounds a curve, its well-worn
tires clawing their way through the mud and its tattered
sides overflowing with human and animal bodies. Its
cargo, piled high on top, rocks to and fro. The 'cuyes'
squeal and the Indians shout curses at the bleating
sheep."*

El "Arquitecto de Esperanza". Huánuco, 1966.
El presidente Fernando Belaunde Terry en un
encuentro en Huánuco. Lleva la "Lampa de Oro", que
fue ofrecida como premio cada año a la comunidad que
mejor representó el lema
"El pueblo lo hizo", dentro del programa de
Cooperación Popular. Bajo la visión innovadora de
Presidente Belaunde, este programa restableció la
tradición incaica de la minka, por lo cual todos
los miembros de una comunidad colaboraban en
proyectos para el bien común.

The "Architect of Hope, Huanuco, 1966
President Fernando Belaunde Terry at a rally in
Huanuco. He holds up the "Golden Shovel" which was
awarded each year to the community that best
represented the slogan "The community did it" under
the program of Cooperación Popular. Under President
Belaunde's innovative vision this program restored the
Inca tradition of the minka, wherein all community
members collaborated together on community projects
for the common good.

El arquitecto con su
exalumno.
Lima, 1978.
El Presidente
Belaunde revisa
planos con su ex-
alumno Manuel
Leyva Cano, un
ingeniero civil y
nuestro jefe en el
programa
Cuerpo de
Paz/Cooperación
Popular.

The Architect and his Former Student, Lima, 1978
President Belaunde looks over plans with his former
student, Manuel Leyva Cano, a civil engineer and our
boss in the Peace Corps/Cooperación Popular program.

Saludando al Presidente, Huánuco 1966
Un desfile de simpatizantes del Presidente Belaunde.

Welcoming the President, Huanuco, 1966
A parade of well-wishers welcomes President Belaunde.

3 p.m. en el Ferrocarril Central, Concepción, Valle del Mantaro, 1978.
Esta pequeña estación está en el Ferrocarril Central cerca de su destino final de Huancayo.

3 p.m. on the Central Railroad, Concepcion, Mantaro Valley, 1978
This small station is on the Central Railroad as it approaches its final destination of Huancayo.

*Conversación amigable en un mercado serrano,
Huancayo, Departamento de Junín, 1978.*
*Huancayo tiene un famoso mercado dominical ubicado
en una de las calles principales. Éste ofrece una
oportunidad para socializar con amigos como también
para la venta de productos agrícolas y cosas de todo
tipo. Cada área del Perú tiene vestido típico. La mujer
del centro probablemente es de Huancavelica, porque su
sombrero es típico de aquella región.*

Explorando el mercado con su madre. ▶
Huancayo, Departamento de Junín, 1978.
*Jalando su hija, una mujer de Huancavelica
explora el mercado dominical.*

*Exploring the Market with Her Mother.
Huancayo, Department de Junin, 1978*
*With her daughter in tow a woman from
Huancavelica explores the Sunday market.*

*Friendly Conversation in a Highland Market. Huancayo,
Department of Junin, 1978.*
*Huancayo has a famous Sunday market located on one
of the main streets. This offers a chance for socializing
with friends as well as for sales of produce
and wares of all kinds. Each area of Peru has typical
dress. The lady in the center
is probably from Huancavelica because
her hat is typical of that region.*

Baldes grandes y niña pequeña. Huancayo,
Departamento de Junín, 1978
Una niña revisa un dibujo mientras que
"balderas" socializan.

Large Buckets and a Small Child, Huancayo,
Department of Junin, 1978.
A toddler looks at a drawing while bucket sellers
socialize.

Líneas de ropa. Arequipa, 1979.
La ropa esta colgada para secar en el sol caluroso de Arequipa. La guitarra parece cansada y probablemente ha visto mejores días.

Laundry Lines. Arequipa, 1979.
Laundry is hung out to dry in the hot sun of Arequipa. The guitar looks tired and has probably seen better days.

Jirón Cusco. Lima, 1981.
Ambulantes venden toda una variedad de cosas
en las calles de Lima. Posteriormente, el gobierno
trasladó la mayoría de estos ambulantes a otros
lugares para reducir la congestión en las veredas
y calles.

Cusco Street, Lima, 1981
Ambulantes *(street vendors) sell all varieties of*
goods on the streets of Lima. Subsequently the
government moved many to other designated
locations to reduce sidewalk and street
congestion.

Construcción autoayuda. Lima, 1981.
Esta mujer vive en un pueblo joven de Lima. Ayuda a un obrero que se ha contratado para mejorar su vivienda provisional hasta tener una casa más permanente. En proveer con su propia mano de obra, ella reduce el costo total de la construcción. Este tipo de labor es común entre los pobladores de pueblos jóvenes, la mayoría de los cuales han migrado de la sierra donde la autoayuda y trabajo comunal son tradicionales.

Self-Help Construction, Lima, 1981
This woman is one of the residents of a pueblo joven *(marginal urban settlement) in Lima. She assists a laborer she has contracted to upgrade her existing provisional shelter to a more permanent one. By so doing, she has reduced the overall cost of the construction. This type of labor is common among residents of* pueblos jovenes, *most of whom have migrated from the sierra where self-help and communal labor are traditions.*

Microempresa, Lima, 1981
Los pequeños vendedores de abarrotes
son muy numerosos en los asentamientos marginales
(pueblos jóvenes) de Lima.

Microenterprise, Lima, 1981.
Small vendors of produce are very
numerous in the marginal settlements
(pueblos jóvenes) of Lima.

Cuatro amigos, Callao, 1981.
Niños del Pueblo Joven César Vallejo cerca de Lima.
Parece que la niña en el centro está agarrando
fuertemente a su hermano menor para que no se pierda
o camine atrasado. Lo más probable es que esta niña va a
ser una madre buena y responsable algún día.

Four Friends, Callao, 1981
Children from the pueblo joven Cesar Vallejo near
Lima. It looks like the girl in the middle has a firm
hold on her younger brother so he will not get lost or
lag too far behind. She will probably be a very good
and responsible mother someday.

Multitareas, Lima, 1981
Lavando ropa y cuidando niños a la vez.

Multi-tasking, Lima, 1981
Washing clothes and caring for children at the same time.

84

Soledad, Lima, 1981
*Hay muchos niños abandonados y rechazados en
los pueblos jóvenes de Lima. Muchas veces viven
en las calles.*

Loneliness, Lima, 1981
*There are many abandoned and unwanted
children in the* pueblos jóvenes *of Lima. They
often live in the streets.*

¿Donde está mi mamá? Lima, 1981
Un niño de uno de los pueblos jóvenes de Lima,
que muchas veces comienzan como invasiones de
áreas no ocupadas. Las casas provisionales son
mejoradas gradualmente con materiales más
permanentes hasta lograr un asentamiento
reconocido oficialmente.

Where Is My Mother?, Lima, 1981
A child of one of the pueblos jóvenes *of Lima*
which often begin as invasions of unoccupied
areas. The initial temporary shelters are
gradually upgraded with more permanent
materials until a recognized settlement is
established.

Limeñas jóvenes. Lima, 1981
Estas jóvenes viven en uno de los pueblos jóvenes en Lima. El cabello encima del ojo de la chica del centro hace a uno pensar del nombre tapada moderna. El término tapada se refiere a las mujeres en la Lima colonial, quienes cubrieron toda su cara con excepción de un ojo. Esta costumbre fue el resultado de la influencia de los moros en España por casi 800 años.

Young Girls in Lima, Lima, 1981
These girls live in one of the pueblos jóvenes *in Lima. The hair drawn over the eye of the girl in the middle makes one think of the name* tapada moderna. *The term* tapada *refers to women in colonial Lima who covered their entire face except for one eye. This custom was the result of Moorish influence in Spain for almost 800 years.*

CPSIA information can be obtained
at www.ICGtesting.com
Printed in the USA
LVHW070142150321
681561LV00016B/452